DRÔLE DE SINGE !

Éric Girard

DRÔLE DE SINGE !

Illustrations de Leanne Franson

■ NATURE JEUNESSE ■

ÉDITIONS
MICHEL
QUINTIN

Données de catalogage avant publication (Canada)

Girard, Éric

   Drôle de singe!

   (Nature jeunesse ; 16)
   Pour les jeunes de 8 à 12 ans.

   ISBN 2-89435-126-7

   I. Titre.   II. Collection.

PS8563.I685D76 1999   jC843'.54   C99-941578-6
PS9563.I685D76 1999
PZ23.G57Dr 1999

Direction littéraire : Michèle Gaudreau
Illustrations : Leanne Franson
Infographie : Tecni-Chrome

La publication de cet ouvrage a été réalisée grâce au
soutien financier de la SODEC et du Conseil des Arts du
Canada.
De plus les Éditions Michel Quintin bénéficient de l'aide
financière du gouvernement du Canada par l'entremise
du Programme d'aide au développement de l'industrie
de l'édition (PADIÉ) pour leurs activités d'édition.

ISBN 2-89435-126-7
Dépôt légal - Bibliothèque nationale du Québec, 1999

© Copyright 1999
Éditions Michel Quintin
C.P. 340, Waterloo (Québec)
Canada J0E 2N0
Tél. :   (450) 539-3774
Téléc. :(450) 539-4905
Courriel : mquintin@mquintin.com

1234567890AGMV32109
Imprimé au Canada

Pour Stéphanie et Anik,
et pour Mathilde

Remerciements

Je tiens à remercier les personnes suivantes pour leur aide précieuse dans la réalisation de ce livre :

*Lucille Magee, Josée Vidal et
Mélinda Wolstenholme ;
Stéphane Miville et Marc Laviolette ;
Carole Longpré ;
et Michèle Gaudreau.*

Merci également à l'organisme américain Helping Hands.

Chapitre 1

Un voisin insolite

Kikikikiki ! Couic !... Kikikiki !...

« Qu'est-ce que c'est que ce curieux bruit ? » songe Benoît qui vient de s'installer sur le balcon pour lire le dernier numéro de *Hibou*.

Ce deuxième jour de juillet a été affreusement chaud. Le vent se lève à présent et la soirée s'annonce plus agréable.

Kikiki ! Kikikiki !... Prrt !...

« Encore ! Il y a une drôle de créature dans l'appartement d'à côté... Il devrait être vide, les Gagnon ont déménagé il y a une semaine. Qu'est-ce que ça peut bien être ? »

Le garçon traverse le salon et la cuisine en coup de vent.

– Ne rentre pas trop tard, compris ? Tu as seulement 10 ans, lui lance sa mère.

Comme d'habitude, Benoît n'écoute pas Marie-Josée. Mais cela importe peu, puisqu'il n'a pas l'intention de quitter l'immeuble n⁰ 1. En fermant la porte, le garçon manque d'écraser son chat Edgar. Matou miteux, comme se plaît à l'appeler Benoît, revient de sa promenade quotidienne en ascenseur. Désagréablement surpris, il hérisse ses petits poils gris en poussant un fchtt ! réprobateur.

Benoît marche d'un pas rapide vers l'appartement 303. Sa curiosité l'emportant sur sa timidité, il presse l'oreille contre la porte pour écouter. Rien. Il n'entend que les battements de son coeur. Pourtant les petits cris semblaient venir d'ici.

« Flûte et turlutte », murmure-t-il. Perplexe, il gratte sa tête blonde, prêt à rentrer chez lui, quand, soudain :

– Kikikikiki !

« C'est bien l'appartement 303, pense-t-il. Mais alors, nous aurions de nouveaux voisins ? Ils ont dû emménager pendant nos vacances au chalet. Flûte et turlutte, répète-t-il entre les dents. Qu'est-ce que je fais ? Je frappe à la porte ? Non, maman ne

serait pas contente. Et si j'attendais? Quelqu'un va bien finir par sortir. Ouais, c'est ça. Je me promène dans le corridor et j'attends, mine de rien.»

Cinq minutes passent, puis dix, puis vingt. Au moment où Benoît va faire demi-tour, la porte du 303 s'entrouvre, lentement, dans un lourd bruit mécanique. Le garçon fonce vers l'ascenseur pour faire semblant de l'appeler. Mais la porte se referme. Le voisin a manifestement changé d'avis.

Résolu à percer le mystère, Benoît s'assoit par terre et sort un carnet de sa poche: son journal personnel. «Il y a sûrement un gros rat dans cet appartement, écrit-il; non, beaucoup de gros rats élevés par un savant qui se livre à de noires expériences. Ou peut-être un mutant créé par les Gagnon. Ils ont toujours eu un drôle d'air, ceux-là.»

Vingt-cinq autres minutes s'écoulent.

– Qu'est-ce que tu fais là?

Marie-Josée a interrompu Benoît dans ses réflexions.

– Rien. J'écris dans mon journal.

– Tu ne serais pas plus à l'aise dans ta chambre?

– Ouan...

– Allons, rentre. Il est tard.

Cette nuit-là, les rêves de Benoît sont peuplés de créatures hideuses. Elles le poursuivent dans un immeuble sombre où des centaines de portes se referment sur des dizaines de couloirs. De leur voix caverneuse, les monstres le menacent mais ses jambes, lourdes et engourdies par la peur, refusent de le porter.

****

Dès l'aube du lendemain, Benoît lance l'Opération 303. D'abord, réunir de l'équipement : jumelles, magnétophone, périscope pour voir sans être vu, trousse de premiers soins (les espions ne sont pas à l'abri des blessures), vivres pour les longues heures de guet, canif, vieille carte d'identité en plastique et attache-feuilles pour déjouer les serrures.

Marie-Josée est déjà partie au travail quand Benoît se présente au petit déjeuner avec son sac à dos rempli à déborder.

– Où diable t'en vas-tu avec cet attirail ? s'étonne Robert, son père. Tu veux enregistrer le chant des oiseaux ?

– Ouais, c'est ça! répond Benoît, satisfait de l'explication que son père a trouvée.

– Tu n'aimerais pas que je te prête mon appareil photo?

– Oui! Super!

En plus d'enregistrer les bruits insolites qui l'intriguent, Benoît va pouvoir photographier le monstre qui les émet! Armé de preuves, il n'aura ensuite aucun mal à convaincre la police de procéder à des arrestations.

Ses rôties et son lait au chocolat vite avalés, Benoît part à l'aventure, le sac sur l'épaule et l'appareil photo en bandoulière. Il a tout prévu. En bon détective, il va commencer par grimper dans le chêne au fond de la cour arrière. De là, il aura une vue plongeante de l'appartement 303, qu'il inspectera avec les jumelles. Puis, il installera son magnétophone sur le balcon du voisin pour enregistrer les cris suspects. Enfin, il surprendra le vilain sur le fait et le prendra en photo. Voilà!

La tête remplie de rêves de gloire et de célébrité, Benoît jaillit de l'appartement... et pousse un cri de terreur.

Chapitre 2

Le monstre

Le coeur battant la chamade, Benoît se trouve nez à nez avec une dame en fauteuil roulant qui le regarde en souriant.

– Je suis désolée de t'avoir effrayé, jeune homme. Je me présente : Sylvie Angers, ta nouvelle voisine.

Benoît reste bouche bée.

– Dis, ça va ? Je m'excuse de t'avoir fait aussi peur. Comment t'appelles-tu ?

– Euh, Benoît Castilloux.

Avec son visage rond, son nez retroussé, ses joues rouges et ses cheveux bruns aux reflets dorés, la jeune femme a l'air plutôt sympathique. Sylvie sourit. C'est toutefois le seul mouvement que Benoît décerne chez elle. Ses bras reposent sur ses cuisses, apparemment sans vie. Un tube mince, à portée de sa bouche, est relié à une petite boîte fixée au fauteuil roulant.

– Bonjour, Benoît. Je suis ravie de te connaître. Tes parents sont-ils à la maison ? J'aimerais faire leur connaissance et leur demander un service.

– Euh, oui, non, c'est-à-dire... bredouille Benoît. Vous habitez quel appartement ?

– Celui-là, le 303.

– Le 303 ? Ah, bon...

L'Opération 303 vient de tomber à l'eau. Finis les savants fous et les horribles mutants. Cette gentille dame n'élève sûrement pas de monstres dans son placard.

– Et alors, tes parents ? Est-ce que je pourrais les voir, tu crois ?

– Oui, oui. Ma mère est partie travailler mais mon père est à la maison.

Robert, à son tour, ne peut réprimer un mouvement de surprise. Mme Murphy, la dame au caniche du sixième étage, se déplace elle aussi en fauteuil roulant, mais le sien n'est pas si étrangement équipé.

– Papa, voici notre nouvelle voisine, Mme Sylvie...

– Sylvie Angers. Bonjour, M. Castilloux. J'ai emménagé à côté il y a trois jours. J'aurais besoin d'un petit coup de main. Auriez-vous le temps de venir remplacer un fusible chez moi?

– Bien sûr. Enchanté de faire votre connaissance, Sylvie.

– Je crois avoir fait une belle peur à Benoît tout à l'heure. Il en a même échappé tout son équipement de... de quoi au juste, hein, Benoît?

– Euh...

– Pardonne ma curiosité. C'est une déformation professionnelle. Je suis journaliste. Alors, ça te sert à quoi tous ces bidules?

– À observer les oiseaux, répond Robert à la place de son fils. J'ai découvert ce matin que Benoît est un ornithologue amateur.

– Ah oui? fait Sylvie. Aimes-tu aussi les mammifères?

– Oh, j'aime tous les animaux. Surtout mon chat.

– Vraiment? Eh bien j'ai quelque chose chez moi qui devrait t'intéresser alors.

Comme s'il avait deviné qu'on parlait de lui, Edgar est sorti rejoindre la compagnie dans le couloir. Il frôle les jambes de Benoît, qui le prend aussitôt dans ses bras :

– Salut, Matou miteux. On dirait que tu as dormi sur la corde à linge, tu es tout fripé !

Sourd à ces commentaires, Edgar ronronne.

– Est-ce que je peux l'emmener chez vous, Sylvie ?

– Non, Benoît, je crois qu'il serait plus sage de le laisser chez toi.

– Nous vous suivons, dit Robert.

À l'aide du tube qu'elle tient dans sa bouche, Sylvie fait faire demi-tour à son fauteuil. Arrivée devant chez elle, elle prononce d'une voix claire :

– Porte ! Ouvrir !

La porte tourne sur ses gonds dans un bruit monotone de moteur.

– C'est moi ! lance la voisine en pénétrant chez elle. Hou-hou ! Tu te caches ? Allons, n'aie pas peur. Viens rencontrer nos gentils voisins !

– Kikikikiki ! Prrt ! Kiki ! Fuiitt !

Benoît sursaute.

– Ah ! te voilà, dit Sylvie. Benoît, Robert, je vous présente mon petit monstre, ma fidèle copine Loumi !

16

Et voilà qu'un adorable petit singe surgit de derrière un sofa. Rapide comme l'éclair, il fait un formidable bond et atterrit sur les genoux de sa maîtresse. «Kikiki!» Les mignons yeux noirs de Loumi clignent sans arrêt. Ils regardent tour à tour Benoît et Robert. Puis ils se posent sur Sylvie.

– Tu n'as rien à craindre, Loumi, calme-toi.

– Hou là! En voilà une surprise, dit Robert.

– N'est-ce pas? Je ne sais pas ce que je ferais sans mon petit singe capucin. Robert, vous trouverez des fusibles neufs dans la première armoire à gauche en entrant dans la cuisine. Je vous remercie beaucoup. Je n'aurai pas à attendre ma soeur pour remettre mon ordinateur en marche. J'ai un article à envoyer ce soir.

– Pour quel journal écrivez-vous? demande Robert en cherchant les fusibles.

– Je travaille à la pige. J'écris des textes pour différents journaux et quelques revues.

Pendant que les deux adultes conversent, Benoît tente d'attirer l'attention de Loumi. La petite guenon le fascine. De son côté, Loumi lui jette des regards furtifs. Ses yeux mouillés vont et viennent entre Benoît et Sylvie. Mais la jeune femme, occupée avec Robert, ne lui porte aucune attention. Benoît tend la main pour lui caresser la tête. Le petit singe a un mouvement de recul et se cache la face sous la veste de sa maîtresse. Sylvie sourit :

– Elle ne se laisse pas approcher facilement, hein ! Tiens, Benoît, va donc ouvrir le réfrigérateur et apporte le pot bleu sur la table, veux-tu ?

Benoît s'exécute.

– Maintenant, tu vas donner à manger à Loumi. Elle adore les raisins verts. Prends un couteau dans le tiroir et coupe un raisin en quatre. Tu vas voir que, chez les singes capucins, la gourmandise chasse vite la timidité !

Intriguée, Loumi surveille la scène avec intérêt. Elle n'ignore pas ce que contient le pot bleu.

– Couikit !

– Alors, tu es moins timide maintenant, n'est-ce pas, ma belle ?

– Kikikiki ! Kikikikikiki ! crie Loumi, les deux mains tendues vers les raisins.

– Vas-y, Benoît, offre-lui-en un.

Benoît présente un quart de raisin à la petite guenon. Celle-ci tourne la tête vers Sylvie, pousse un faible cri et s'empare du fruit.

Benoît lui donne un deuxième quart de raisin, puis un troisième. Loumi se pourlèche les babines, les yeux rivés sur la main de Benoît qui tient le dernier morceau.

– Maintenant, demande-lui de s'approcher. Tu n'as qu'à dire : « Viens, Loumi. »

À l'appel de son nom, le singe hésite un moment, puis saute sur les genoux du garçon.

Benoît est radieux. Mais avant qu'il ait pu lui donner une seule caresse, Loumi a saisi le raisin et s'est réfugiée sur le réfrigérateur.

– Flûte et turlutte ! Pourquoi est-elle partie si vite, Sylvie ?

– C'est qu'il lui faudra un peu de temps pour s'habituer à toi.

– Ah... Où l'avez-vous achetée ?

– Je ne l'ai pas achetée, on me l'a donnée.

– Donnée ? ! C'est extra ! Est-ce que je pourrais avoir un singe, moi aussi ?

– Non, pas toi. On me l'a offerte parce que je suis tétraplégique et que j'ai besoin d'aide.

– Tétra... quoi?

– Tétraplégique, dit son père. Cela veut dire que Sylvie a les bras et les jambes paralysés.

– Vois-tu, Benoît, l'année de mes 16 ans, j'ai eu un terrible accident de voiture. J'ai perdu l'usage de mes membres pour la vie...

Sylvie laisse échapper un long soupir triste:

– Dieu merci, ma soeur et ma mère se relaient chaque jour pour prendre soin de moi. Et depuis un an, j'ai Loumi. Grâce à elle, je suis plus autonome. Elle est très habile de ses mains, tu sais. Elle m'aide à faire des tas de choses.

– Comme quoi?

– Elle va me chercher des boissons ou de la nourriture dans le frigo. Elle sait mettre des disques compacts dans mon lecteur, placer un livre sur le lutrin, jeter de petits objets dans la poubelle, ouvrir et fermer les fenêtres, allumer ou éteindre la lumière.

« Tu vois ce petit bâton sur le bras droit de mon fauteuil ? C'est ma baguette magique, une baguette au laser. Regarde bien.

« Hé ! Loumi ! Viens ici, ma belle ! »

Le singe descend de son perchoir et saute sur les genoux de Sylvie.

– Loumi, disque !

La guenon sautille vers la collection de disques compacts de sa maîtresse. Puis elle se tourne vers Sylvie, attendant l'instruction suivante. Sylvie saisit la baguette laser avec sa bouche et dirige un mince faisceau lumineux sur un titre. Loumi prend délicatement le disque, le retire de sa boîte, allume le lecteur, insère le disque. Ensuite, elle apporte la télécommande à Sylvie qui met l'appareil en marche avec une tige qu'elle porte au cou.

Au son du piano, la guenon se met à tourner sur elle-même, telle une ballerine. Robert et Benoît sont émerveillés.

– Dites donc, c'est une artiste, votre Loumi, s'exclame le père.

– Comme elle est drôle ! s'esclaffe Benoît.

Puis les nouveaux amis cessent de parler. Émus, ils admirent en silence les cabrioles du petit singe qui a oublié leur présence et se laisse transporter par la musique.

Chapitre 3

La mauvaise nouvelle

Marie-Josée est à peine rentrée du travail que Benoît l'appelle du vestibule, chez Sylvie.

– Viens ici, maman! J'ai quelque chose de très important à te montrer!

La mère de Benoît est mécanicienne chez un concessionnaire d'automobiles. Son visage est encore tout maculé de cambouis.

– Une minute, Benoît, je n'ai même pas eu le temps de me débarbouiller.

– C'est pas grave!

Deux instants plus tard, Marie-Josée fait la connaissance de la jeune femme en fauteuil roulant. Loumi les rejoint en sautillant.

– Il est vraiment mignon, dit Marie-Josée en apercevant le singe.

– *Mignonne*, reprend son fils. C'est une femelle, maman.

– Kiki! Krrt! fait Loumi, comme si elle comprenait la conversation.

Benoît, qui a passé l'après-midi à jouer avec la petite guenon, s'en est déjà fait une amie. Au grand bonheur de Sylvie, d'ailleurs, qui aimerait elle aussi pouvoir jouer avec sa protégée à quatre pattes.

– Elle est de bonne compagnie pour vous, j'imagine? demande Marie-Josée.

– Loumi? C'est mon rayon de soleil! Mon amie, mon aide, mon clown! Sans elle, je trouverais le temps bien long, assise toute la journée sans bouger et sans autre distraction que la télé, la radio ou l'ordinateur. Au moins je ne parle pas toute seule. Et puis je la regarde danser, gambader et jouer pendant des heures. Chère Loumi, va!

– Krrtt?

Le singe a reconnu son nom. Même au milieu de ses jeux elle est prête à rendre service à sa maîtresse.

– Ça va, ma belle, je n'ai besoin de rien.

– Tu as vu, maman, comme ses doigts sont délicats?

– Tu as raison. Mais viens Benoît, c'est l'heure de rentrer, annonce Marie-Josée.

– Oh! maman, laisse-moi rester jusqu'au souper, s'il te plaît!

– Tu ne trouves pas que tu abuses un peu?

– Ne vous en faites pas, madame Castilloux, il ne me dérange pas du tout aujourd'hui. Si vous me le laissez encore un peu, je lui montrerai comment Loumi m'aide à manger.

– Oh oui!

– Bon, je m'incline! dit Marie-Josée. À tout à l'heure, Benoît. Et merci de vous occuper de mon fils, Sylvie.

****

Benoît n'a jamais passé de si belles vacances. Presque chaque jour, depuis le début de l'été, il va rigoler avec Loumi et aider Sylvie l'après-midi. Lui et son amie poilue rivalisent d'acrobaties et de pitreries pour faire rire la jeune femme. Sylvie en oublie par moments sa difficile condition.

De leur côté, les parents du garçon ont remarqué chez leur fils une étonnante transformation. Il est plus enjoué et plus loquace que d'ordinaire. Au souper, il jacasse comme une pie en racontant les prouesses qu'il fait avec Loumi.

Seule ombre au tableau : le pauvre Edgar crève de jalousie et d'ennui depuis que Benoît l'a délaissé pour un vulgaire singe ! Un singe d'Amérique du Sud, en plus, avec ce drôle de capuchon de poils noirs sur la tête ! Benoît s'efforce de consacrer à son chat un peu de temps tous les jours, mais cela ne suffit pas à Edgar. Il est habitué à plus de prévenances et d'attentions. Au bout de quelques semaines de ce régime, le gros chat en vient à bouder le jeune garçon.

****

Un matin, c'est la catastrophe. Dans la boîte postale où il est allé chercher le courrier de Sylvie, Benoît trouve une enveloppe portant la mention « À tous les locataires ». Il remonte chez Sylvie en vitesse, ouvre la lettre et lit à voix haute pour son amie :

AVIS À TOUS LES LOCATAIRES

Veuillez prendre note qu'à compter du 1er septembre prochain, c'est moi qui, à titre de nouveau propriétaire, gérerai les trois immeubles d'appartements. Je respecterai vos contrats actuels de location. Toutefois, tous les renouvellements contiendront des clauses supplémentaires dont vous trouverez copie ci-jointe.

Je me permets d'attirer votre attention sur la clause 14, concernant les animaux de compagnie, qui touche tous les locataires de mes immeubles.

> Roger Biron
> Les Appartements Joie de Vivre

— Un nouveau règlement sur les animaux de compagnie ? s'inquiète Sylvie. Lis-moi la clause 14, Benoît.

— *Aucun animal de compagnie ne sera toléré sur ma propriété, que ce soit dans les aires communes ou dans les appartements privés.*

— Quoi ? ! lance Sylvie.

Loumi sursaute.

— Qu'est-ce que ça veut dire ? demande Benoît.

– Ceci : que pour pouvoir renouveler mon bail l'année prochaine, il faudrait que je renonce à Loumi ! C'est incroyable ! Comment peut-il faire une chose pareille, ce M. Biron ? Et Edgar, as-tu songé à Edgar ? Tu devras te défaire de lui !

– Hein ?

– Eh oui ! En qualité de propriétaire, M. Biron a le droit d'imposer de nouveaux règlements aux locataires. Et l'un de ces règlements interdit maintenant les animaux de compagnie, quels qu'ils soient.

– Flûte et turlutte, c'est épouvantable !

– Je gage que M. Biron est un affreux monsieur qui déteste les animaux. Je n'en reviens pas. Il faudra que j'aille lui parler. Viens, allons prévenir tes parents.

Loumi saute sur les genoux de sa maîtresse dans l'espoir de l'accompagner.

– Désolée, Loumi. Tu m'attends ici. Allez, dans ta cage !

– Kikikikikiki ! Kiiikiiikiii ! Prrrrtt !

Chapitre 4

Monsieur Biron

– **V**ous avez vu l'avis du nouveau propriétaire, Robert? fait Sylvie en brandissant la lettre.

– Oui. Je l'ai lu tout à l'heure. C'est embêtant.

– Scandaleux, vous voulez dire! Je n'ai pas l'intention de renoncer à ma Loumi pour des caprices semblables. Et pour ce qui est de déménager, je ne veux même pas y penser. C'est trop compliqué. Qu'allons-nous faire?

– Ne vous inquiétez pas, Sylvie, nous allons trouver un moyen. Il faut simplement expliquer à M. Biron que les gens tiennent à leurs animaux, et qu'il est inhumain de les forcer à s'en débarrasser.

D'ailleurs, il devra bien faire une exception pour Loumi. Après tout, votre situation est unique. Je suis sûr qu'il comprendra.

— Sinon, on protestera avec des pancartes comme à la télé! lance Benoît.

— Nous n'en sommes pas là, reprend son père. Essayons d'abord de raisonner M. Biron. Tiens, nous pourrions lui rendre visite dès ce soir avec Marie-Josée. Nous emmènerons Loumi pour lui montrer combien elle est gentille. Qu'en dites-vous, Sylvie?

— D'accord, répond la jeune femme, un soupçon d'appréhension dans la voix.

— Bon, je m'en vais de ce pas lui téléphoner.

****

Au retour de sa mère, à la fin de l'après-midi, Benoît se précipite sur elle:

— C'est terrible, maman! On va perdre Edgar et Loumi! Il faut bricoler des pancartes, c'est à cause de M. Biron, et...

Devant l'air stupéfié de sa femme, Robert interrompt leur fils et explique les choses plus posément. Marie-Josée décide sur-le-champ de se joindre à la délégation qui ira affronter M. Biron dans son bureau de l'immeuble n⁰ 3.

– On a décidé d'emmener Loumi, maman, dit Benoît, qui a retrouvé son calme.

– Très bonne idée. Ce charmant petit singe est notre meilleur atout. Ce propriétaire de malheur n'a qu'à bien se tenir !

À 19 h 15, Marie-Josée, Robert, Benoît et Sylvie sont prêts. Loumi, elle, ne se doute pas de la menace qui plane sur elle. Tous ces gens, toute cette activité imprévue ! La guenon, tout excitée, pousse de petits cris nerveux. Elle court en tous sens, s'agrippant à Benoît une seconde, sautillant ensuite sur Sylvie, grimpant aussitôt après sur son «arbre», un poteau en bois traversé d'échelons qu'elle escalade jusqu'à son refuge, une jolie maison verte aménagée en nid douillet.

On semble se préparer à sortir pour l'emmener en promenade. Quoi de mieux ?

– On y va ? dit Benoît.

– On y va, répondent en chœur sa mère, son père et Sylvie.

Là-dessus, Loumi descend de son perchoir en quatrième vitesse et atterrit sur sa maîtresse.

****

– *Bureau*. C'est là ! chuchote Benoît.

Il parle tout bas, car les lieux officiels, où travaillent les grandes personnes, l'intimident. Ils sont pleins de gens qui parlent entre eux d'un air sérieux. Qui gardent les yeux rivés sur leur ordinateur, ou l'oreille collée au téléphone. Personne dans ces tristes endroits ne fait jamais attention à lui. Benoît est beaucoup plus à l'aise sur les terrains vagues creusés par les marmottes, dans les petits bois égayés par le babil des oiseaux, ou près des marais où les grenouilles chantent l'opéra du printemps.

Le bureau de M. Biron, où les amis pénètrent le coeur battant, n'a pas été conçu pour les gens en fauteuil roulant. Marie-Josée doit aider Sylvie à franchir la porte puis à zigzaguer entre une énorme plante verte – un caoutchouc – et une table basse. La petite Loumi reste blottie contre la poitrine de sa maîtresse, mal à l'aise dans ce lieu inconnu.

– Bonjour, dit la secrétaire en avisant Loumi du coin de l'oeil. M. Biron est au téléphone. Ce ne sera pas long. Asseyez-vous, je vous prie.

Le silence gêné qui s'installe bientôt n'est brisé que par le cliquetis des ongles de Mme Fauteux sur le clavier de son ordinateur.

Benoît, assis à côté de Sylvie, examine la pièce en caressant Loumi. Meubles anciens et accessoires modernes, tout respire l'ordre et la propreté. Une immense photographie de M. Biron le montre qui sourit fièrement en compagnie de trois enfants : une fillette, un garçon de l'âge de Benoît, et une adolescente.

Benoît a du mal à croire que l'adulte froid qui parle au téléphone de l'autre côté de la porte entrouverte est celui de la photo. L'homme du bureau porte un costume-cravate. Celui de la photo, un ensemble sport très décontracté. L'homme du bureau a le visage crispé. Celui de la photo, l'air tout à fait détendu. En personne, le crâne chauve et la grosse moustache poivre et sel de M. Biron lui donnent un air de chef d'entreprise un peu dangereux. Sur la photo, ils lui font une allure de gentil parrain qui aime bien s'amuser.

– Non, madame, insiste M. Biron au téléphone, je vous le répète, ma décision est irrévocable!

Loumi se recroqueville sur Sylvie. Elle a horreur des gens qui élèvent la voix.

– Je suis désolé. Non, madame... vous allez devoir m'excuser maintenant, j'ai des visiteurs. Au revoir, madame!

M. Biron raccroche en roulant les yeux d'exaspération, se lève et ouvre la porte.

– Bonjour, messieurs dames, que puis-je faire pour vous?

Marie-Josée est la plus hardie:

– Nous sommes venus vous voir au sujet de l'avis que vous avez envoyé aux locataires concernant...

– Encore! J'ai reçu VINGT-QUATRE appels aujourd'hui à ce propos! Je viens de passer un quart d'heure au téléphone avec Mme Murphy, qui garde un caniche dans votre immeuble. Écoutez, j'en ai assez de vos jérémiades!

– Soyez raisonnable, monsieur Biron, poursuit Marie-Josée, vous rendez-vous compte de la peine que vous faites à tous les gens qui possèdent des animaux? Pas

étonnant qu'ils vous appellent, vous menacez de leur enlever une partie d'eux-mêmes!

– Allons donc, qu'est-ce que vous me chantez là! On parle d'animaux, ici, pas d'enfants!

– Monsieur Biron, si je puis me permettre, intervient Robert, pourriez-vous au moins nous expliquer pourquoi vous tenez tant à vous débarrasser des animaux?

– Les animaux, c'est sale, ça abîme tout et ça transmet des maladies. Pour comble, ma petite-fille est allergique à presque tout ce qui est poilu, même aux ours en peluche. Je veux qu'elle puisse respirer à son aise ici. Avez-vous déjà été réveillé la nuit, vous, par un enfant qui étouffe dans son lit? Non? Eh bien, je ne vous le souhaite pas!

– Mais, monsieur Biron, vous ne pouvez pas priver les locataires de trois immeubles de leur animal de compagnie à cause d'une fillette allergique qui viendra rendre visite à son grand-père une fois de temps en temps!

– Oui, je le peux et je le ferai! Mais... qu'est-ce que c'est que cette... chose?

Loumi, la «chose», a de plus en plus de difficulté à rester calme. La tension qui règne autour d'elle la trouble. Elle voudrait bien retourner à la maison et se mettre à l'abri dans sa cage. Le petit singe geint doucement en implorant Sylvie des yeux. La tétraplégique répond d'une voix sèche:

– C'est mon singe capucin. Elle s'appelle Loumi. C'est grâce à elle que je peux habiter seule *et vous verser un loyer!*

– Si vous interdisez à Sylvie de garder son animal, renchérit Robert, elle devra déménager, car elle a absolument besoin de lui. Vous perdrez une locataire. Et que dire de tous ces gens qui vous ont téléphoné? Que ferez-vous s'ils partent tous, eux aussi?

– J'appellerai tous les autres qui sont inscrits sur la liste d'attente!

– La liste d'attente? interroge Marie-Josée.

– Oui, la liste d'attente! Des dizaines de familles attendent qu'un logement se libère ici. Et aucune d'entre elles ne possède d'animal, j'ai vérifié.

Loumi ne tient plus en place. Elle gémit de plus en plus fort en tirant sur sa laisse rose. Benoît ne réussit pas à l'apaiser.

– Faites au moins une exception pour Loumi, répond Sylvie en adoucissant le ton. L'avez-vous bien regardée? Comment pouvez-vous croire qu'une bête si adorable puisse vous causer des ennuis?

– Elle n'est pas adorable du tout, rétorque le propriétaire en se levant brusquement pour signifier la fin de cet entretien qui l'irrite. Elle remue et couine sans arrêt. Je gagerais même qu'elle a déjà abîmé votre logement.

C'en est trop. À la vue du gros homme qui se dresse, Loumi panique et saute par terre en criant. Benoît échappe la laisse. En courant vers la porte, Loumi bondit dans le caoutchouc. La plante de deux mètres bascule et s'affaisse sur le plancher. Affolée, la guenon grimpe sur le bureau de la secrétaire. Kikikikiki!! Prtt! Kiiiitt! crie l'animal épouvanté. Mme Fauteux manque de s'évanouir.

– Arrêtez ce singe! fulmine M. Biron, et sortez tous d'ici, sinon j'appelle la police!

Chapitre 5
La CLAC

Cinq heures le lendemain matin. Benoît a les yeux grand ouverts dans son lit. Il se tourne d'un côté, se retourne de l'autre. Impossible de se rendormir. Il ne pense qu'au drame de la veille, convaincu qu'on va lui prendre Edgar et sa merveilleuse copine Loumi.

Peu à peu, cependant, son anxiété fait place à un début d'optimisme. Il lui vient maintenant des tas d'idées pour ramener M. Biron à la raison. À 8 heures, n'y tenant plus, il entrouvre la porte de la chambre de ses parents pour voir s'ils sont réveillés. Aucun mouvement.

Edgar accompagne Benoît à la cuisine. Moins pour lui tenir compagnie que pour quémander son petit déjeuner. Distraitement, le garçon lui donne à manger.

– Mon pauvre Matou miteux, si tu savais ce qui risque de t'arriver...

Benoît réprime les larmes qui lui montent aux yeux. «Flûte et turlutte, du nerf! Ce n'est pas le moment de flancher!» se sermonne-t-il.

Devant un grand bol de céréales, il repasse en pensée les contre-attaques qu'il a imaginées. Soudain, patatras! Le bol rempli à ras bord lui glisse des mains et se fracasse par terre en faisant un affreux dégât. Bon, il a réveillé toute la maisonnée!

– Qu'est-ce que ce vacarme? fait son père en apparaissant dans la porte, les cheveux tout ébouriffés.

– Je m'excuse. C'est moi... Mon bol de céréales... il est tombé. Je vais tout nettoyer.

– Dis donc, il n'est pas un peu tôt pour commencer ta journée? Ce sont nos mésaventures d'hier qui te tracassent, n'est-ce pas?

– Ouais, répond simplement Benoît, en épongeant le lait sur le plancher.

Comme son père saisit un linge pour l'aider, la sonnerie du téléphone retentit.

– Allô?

– Bonjour, Robert, c'est moi, Sylvie. Je vous réveille, peut-être?

– Pas du tout. Benoît s'en est déjà chargé. Il y a de la nervosité dans l'air, je crois.

– À qui le dites-vous! Justement, je me demandais si nous pourrions nous voir ce matin pour élaborer notre stratégie.

– Bien sûr. Je suis certain que Benoît sera très content de passer à l'action. Donnez-nous 30 minutes.

– D'accord, je vous attends.

****

Loumi est sagement assise sur les genoux de Benoît. Depuis une demi-heure, elle écoute avec sérieux la conversation de ses amis humains. La guenon devine, à l'intonation de leur voix et à l'expression de leur visage, qu'il se passe quelque chose de fâcheux. Benoît ne la taquine pas. Il la caresse avec distraction. Et, contrairement à son habitude, il participe activement à la discussion des adultes.

– J'ai des idées à proposer, avance-t-il. J'ai rêvé à notre problème toute la nuit.

– On t'écoute, dit Sylvie.

– Nous pourrions demander à tous les locataires qui ont des animaux de se joindre à nous, aller voir M. Biron tous ensemble, alerter les journalistes, prévenir la Société protectrice des animaux...

– Hé ho! pas si vite, interrompt son père. J'essaie de prendre des notes, moi!

– Excellente idée, Benoît, dit Sylvie. Tu as raison, il faut trouver des appuis, créer une association de locataires. À nous quatre seulement, nous ne viendrons jamais à bout de M. Biron. Surtout avec la scène que Loumi a faite dans son bureau...

– Je propose d'appeler notre association la Coalition des locataires pour les animaux de compagnie! s'écrie Robert.

– La... CLAC! dit son épouse, en composant aussitôt le sigle.

– CLAC, ça sonne bien, déclare Sylvie. C'est court et percutant. Comme un coup de fouet!

– Longue vie à la CLAC! s'écrie Benoît.

– Prrrtt! Kitkit! Prrrtt! fait Loumi en écarquillant les yeux.

L'après-midi même, Marie-Josée ayant congé, les membres fondateurs de la

CLAC vont frapper aux portes pour demander aux autres locataires de signer la pétition que Sylvie a dictée à l'ordinateur. Pour chacun des trois immeubles, Sylvie, Benoît et Loumi parcourent le rez-de-chaussée ainsi que le deuxième étage; Marie-Josée se charge des troisième, quatrième et cinquième étages; Robert, des sixième, septième et huitième. Ils se sont donné rendez-vous à 16 heures pour faire le point.

****

– Ouf! soupire Benoît, je suis crevé! Pas toi, Sylvie?

– Plutôt, oui, mais n'est-ce pas que tous ces gens nous ont bien reçus? C'est un excellent début, je trouve. Et tu as vu la tête de Loumi devant le hamster dans l'immeuble n° 2?

Vrai, Loumi en a vu de toutes les couleurs et de toutes les espèces, des animaux: des oiseaux, des chiens, des chats, même des serpents, l'ennemi juré des petits singes! Elle s'est agitée en entendant les chiens japper mais Benoît et Sylvie ont réussi à la rassurer. Elle dort maintenant sur les chevilles de sa maîtresse.

Ils ont recueilli quinze signatures dont, bien sûr, celle de Mme Murphy. Mme Blondeau a été indignée par le comportement cavalier de M. Biron. Elle ne voudrait pour rien au monde se passer de ses passereaux. Pour M. St-Gelais, pas question de se départir de son labrador ; jamais il ne dort sans Médor ! Quant à M. Pinson, il ne pourrait vivre sans son cher Samson ! Mme Charbonneau, elle, refuse tout net de se séparer de ses deux inséparables. Enfin, M. Sasseville assure qu'il se sentirait bien seul sans ses six serpents !

Robert et Marie-Josée ont remporté autant de succès que Sylvie et Benoît. Ils ont récolté une quarantaine de signatures.

– Qu'est-ce qu'on fait maintenant ? demande Benoît.

– Il faut remettre la pétition à M. Biron, répond sa mère. Je m'en charge. Seulement, je crois qu'il vaudrait mieux y aller sans Sylvie ni Loumi. Mme Fauteux ne les laisserait sûrement pas entrer. La pauvre, je me demande si elle a survécu à notre dernière visite...

Le lundi suivant, deux membres de la CLAC se présentent devant Mme Fauteux avec Marie-Josée. Évidemment, ils ont laissé leurs animaux chez eux...

– C'est à quel sujet?

– Eh bien, euh, nous voulons remettre à M. Biron un document important concernant son avis aux locataires, explique Mme Blondeau.

Mme Fauteux toussote pour se donner une contenance:

– Un moment, dit-elle sèchement.

Elle jette un coup d'oeil à M. Biron, qui n'a pas levé le nez de son bureau.

– Vous pouvez y aller.

Les trois complices s'avancent.

– Bonjour, monsieur Biron, commence M. Sasseville. Nous représentons un groupe de vos locataires. En leur nom nous vous apportons une pétition pour vous demander officiellement de renoncer à la clause 14 sur l'interdiction des animaux.

Manifestement agacé, M. Biron saisit le document:

– Vous êtes tenaces, je trouve.

– Je me permets de vous signaler, monsieur Biron, que cette pétition porte les noms des propriétaires d'animaux, mais aussi de beaucoup d'autres gens, continue M. Sasseville. Une très forte majorité de vos locataires l'ont signée.

– Écoutez, JE suis le propriétaire et JE prends les décisions. D'ailleurs, aucune loi ne s'oppose à ce règlement. La plupart des immeubles du quartier interdisent les animaux de compagnie.

– Peut-être, mais ils tolèrent des exceptions, intervient Marie-Josée.

– Eh bien, pas moi! J'ai la ferme intention de faire respecter le nouveau règlement à la lettre. Aussi je vous conseille de rentrer gentiment chez vous. Vous perdez votre temps et vous me faites perdre le mien. Allez, bonsoir!

– Mais...

– BONSOIR!

Chapitre 6
La bénédiction

– **F**lûte et turlutte! Encore raté! grogne Benoît en apprenant l'échec de la mission de la CLAC. On fait quoi maintenant?

– Une manif, samedi prochain, devant chez M. Biron, propose son père.

– Une manif... répète Benoît, un point d'interrogation dans les yeux.

– Une manifestation, explique Marie-Josée. Nous allons protester dans la rue avec des pancartes, et convoquer des journalistes, comme tu l'as suggéré.

– Excellent! Mais alors il faut réunir du monde. Beaucoup de monde. Et des animaux à poil, à plumes, à écailles!

****

Pendant quatre jours, tous les membres de la CLAC s'activent comme des abeilles et bourdonnent comme des bourdons. Les uns au téléphone, les autres à la fabrication des pancartes. On fera une manif monstre, comme on n'en a jamais vu dans le quartier. Plus important encore, les manifestants emmèneront leurs animaux. Benoît veut que ça jappe, que ça miaule, que ça croasse, que ça siffle, que ça roucoule, que ça hennisse! Car on va prévenir les agriculteurs des environs. M. Biron verra qu'il a affaire à forte partie.

Les trois immeubles des Appartements Joie de Vivre se dressent au bout d'un cul-de-sac. Robert et Marie-Josée ont demandé à la police municipale de bloquer cette portion de la rue afin que les protestataires puissent circuler en toute sécurité.

Par ailleurs, le curé de la paroisse, un ami de la famille qui possède lui-même deux chats, a décidé de leur venir en aide. Il va ressusciter pour l'occasion une ancienne tradition chérie des vieux cultivateurs et haute en couleur: la bénédiction des animaux.

****

Le samedi, il fait un temps magnifique. Les oiseaux chantent à tue-tête, comme pour se joindre au concert des autres animaux réunis pour le défilé. À mesure que les gens arrivent, le tumulte augmente, nourri par les conversations animées et les chansons-slogans. Une cacophonie digne de la jungle!

Benoît transporte Loumi dans son sac à dos. Devant les chiens ou les gros chats, elle prend peur et rentre vite la tête dans le sac.

Un fermier a emmené un énorme cochon. Il aurait voulu emmener sa vache, mais il n'a pas réussi à la faire monter dans son camion. Il espère quand même produire un effet boeuf!

11 h 50. Robert s'empare du porte-voix qu'il a loué:

— Attention! Attention! Votre attention s'il vous plaît! Rassemblez vos animaux, brandissez vos pancartes, c'est l'heure de nous mettre en marche! Êtes-vous prêts?

— OUAAIIIS! crie la foule.

— Êtes-vous décidés à défendre notre noble cause?

— OUAAIIIS!

— Alors criez très haut et très fort. Et

espérons que vos animaux en feront autant ! En avant !

À ce signal, la masse d'humains et de bêtes s'ébranle vers l'immeuble de M. Biron.

– S'il savait ce qui l'attend ! crie Sylvie à Marie-Josée.

****

Dix minutes après, Benoît aperçoit monsieur le curé au bout de la rue avec M. Sasseville et Jean, un copain de Sylvie, reporter lui aussi. Les trois hommes forment un drôle de trio. Le curé est gros et grand ; les enfants l'ont surnommé Obélix ! M. Sasseville est court et chétif. Jean, lui, est aussi grand que le curé et aussi maigre que M. Sasseville. Depuis un moment, ils écoutent la rumeur de la foule qui avance, confiants que la manifestation fera fléchir M. Biron.

Tiens, voilà justement le propriétaire. Jean braque son appareil photo sur lui pendant que M. Biron apostrophe le curé d'un ton cavalier :

– Que faites-vous là, monsieur le curé, et pourquoi a-t-on bloqué la rue ?

– Bonjour à vous, monsieur Biron! Superbe journée, n'est-ce pas! Vous ne saviez pas? Aujourd'hui, c'est un grand jour. Nous avons décidé de renouer avec une vieille coutume: la bénédiction des animaux!

– Comment!?

– Eh oui! Certaines gens tiennent à leurs traditions, comme d'autres tiennent à leurs animaux de compagnie!

– Je ne comprends rien à ce que vous dites.

– Eh! bien, ils vous expliqueront, dit le curé en pointant le doigt vers la foule qui débouche devant l'immeuble n° 3.

– BONJOUR, MONSIEUR BIRON!

Entraînés par leurs maîtres, les animaux grognent, gloussent, glapissent, glougloutent à qui mieux mieux. Ils jasent et ils jacassent, ils chantent et ils sifflent.

– VIVE LES ANIMAUX! scandent les protestataires.

– LAISSEZ-NOUS NOS AMIS!

– LES IMMEUBLES BIRON, DES PRISONS!

M. Biron est rouge de colère.

– Ah! elle est belle, votre bénédiction, vocifère-t-il à l'endroit du curé.

Les huées suivent le propriétaire, qui s'éloigne d'un pas rapide.

– Mes amis, bravo, M. Biron vous a bien entendus. Maintenant, si vous le voulez bien, nous allons procéder à la bénédiction.

Un à un, les manifestants déposent leurs pancartes et défilent calmement devant le curé avec leurs animaux pour recevoir sa bénédiction. La cérémonie terminée, Jean s'approche de sa collègue en fauteuil roulant :

– Dis donc, Sylvie, où est Loumi ?

– Avec Benoît, le fils de mes voisins. Ces deux-là sont très amis. Ah ! le voilà. Benoît, viens par ici !

– Salut ! dit Benoît.

– Kiit ! Kiiit ! Kit ! fait Loumi, toujours à l'abri dans son sac.

– Tu es satisfait de la manif ? demande le journaliste au garçon.

– C'est follement amusant avec tous ces animaux ! Mais nous ne serons peut-être pas plus avancés. Vous avez vu la tête de M. Biron ? Son visage rouge devenu tout blanc, puis bleu !

– Ah, voilà qui résume bien la situation, dit Jean en prenant des notes. Benoît, tu veux bien que je te photographie avec Loumi et Sylvie ? Je prépare un article pour demain.

– Chic!

Clic ! fait l'appareil photo.

****

Le lendemain à 7 heures.

– Regarde, papa, ma photo dans le journal ! Avec Loumi et Sylvie !

– Mais c'est vrai ! Hé, Marie-Jo ! Viens voir un peu. On a une vedette dans la maison !

UN PROPRIÉTAIRE INTERDIT LES ANIMAUX
Les locataires grognent
par Jean Morin

VILLEJOIE - Une centaine de personnes ont manifesté dans la rue hier pour dénoncer la décision d'un propriétaire d'immeuble. M. Roger Biron a interdit les animaux de compagnie dans les Appartements Joie de Vivre. Rien, semble-t-il, ne lui fera entendre raison. « Le règlement, c'est le règlement, a-t-il déclaré. Je le ferai respecter ! » Les *locataires sont très mécontents. « Je trouve injuste de devoir quitter le logement que j'aime à cause de ma petite Loumi », a expliqué Mme Sylvie Angers, une locataire tétraplégique qui a besoin de son singe capucin à la maison pour l'aider dans ses tâches quotidiennes.*

– Il y a aussi une photo de monsieur le curé qui bénit les animaux, dit Marie-Josée. Sylvie sera contente de ce papier. Traversons chez elle!

– Salut! Quel bon vent vous amène de si bon matin? fait Sylvie en ouvrant la porte mécanique.

Sans se faire prier, Loumi saute dans les bras de son copain Benoît et se met à lui gratter le cuir chevelu comme si elle cherchait des poux.

– Regarde, Sylvie, ton ami Jean a écrit un super article sur nous! Avec une photo où Loumi fait la grimace!

– Kitkit! crie la petite guenon en regardant la photo. Pttttttt! Ptttttt!

– J'ai tenté de joindre M. Biron en fin d'après-midi hier, mais Mme Fauteux m'a raccroché au nez, reprend Sylvie.

– Quelle insolence! dit Robert.

– On ne pourrait pas avertir la Société protectrice des animaux? s'enquiert Benoît.

– Pour lui dire quoi? dit Sylvie. Nos animaux ne sont pas maltraités. M. Biron ne fait que les interdire sur sa propriété. C'est tout à fait légal. C'est sa dureté de coeur qui nous cause des ennuis. Non, ce qu'il nous faut, c'est l'appui d'une personne haut placée, respectable, quelqu'un qui en imposerait à M. Biron.

– Qui? demande Robert à la ronde.

– ... Le maire! Nous allons alerter le maire, s'écrie Marie-Josée de l'autre bout de la pièce.

– Ma chérie, tu es géniale!

Chapitre 7

Un coup du destin

Chez les membres de la CLAC réunis dans le salon, c'est la consternation. Même le maire de Villejoie, sympathique à leur cause, n'a pas réussi à convaincre M. Biron. On ne sait plus à quel saint se vouer.

Pendant que les adultes échafaudent d'autres plans, Benoît, fatigué et boudeur, gratte Loumi derrière l'oreille. Loumi tire sur la manche de son t-shirt pour l'inciter à jouer, mais en vain.

– Pauvre Loumi, je n'ai vraiment pas le coeur à m'amuser.

Loumi regarde Benoît un instant, l'air de se demander quoi faire. Puis elle va se planter devant sa maîtresse.

– Kiiittt! Kiitt!

– Pas maintenant, Loumi, fait Sylvie. Sois gentille, va jouer.

Offusquée, la guenon détale vers la salle à manger. Écartant délicatement la moustiquaire de la porte-fenêtre restée entrouverte, elle saute sur le balcon. Pendant ce temps, Benoît s'est endormi sur le sofa.

****

À cinquante mètres, au huitième étage de l'immeuble n° 3, l'atmosphère est à la fête. M. Biron attend sa petite-fille Juliane, qu'il va garder toute la fin de semaine. Fébrile, il se prépare à la recevoir. Il tourne et retourne les oreillers sur le lit de la chambre d'amis, lisse les couvertures, libère des tiroirs pour sa petite chérie, garnit la salle de bains de savonnettes de couleur et de jolies serviettes.

C'est la première fois que Juliane vient coucher depuis qu'elle a eu ses sept ans. M. Biron est aux anges. Il rayonne comme un soleil. Si les membres de la CLAC pouvaient le voir en ce moment, ils n'en croiraient pas leurs yeux.

– La voilà ! dit-il tout haut.

Il vient d'apercevoir sa Juliane par la fenêtre.

Une demi-heure après, la petite est bien installée chez son grand-père, entourée de beaux cadeaux : un mignon hérisson en plastique, un cahier à colorier avec des crayons de couleur et un beau grand livre d'histoires.

****

– Au secours ! hurle Benoît en sursautant.

Dans son cauchemar, il allait être englouti par de la lave. Dans une vallée d'Amérique du Sud, il cherchait des singes capucins pour les ramener au Canada, quand la terre s'est mise à trembler. Les montagnes entourant la vallée ont explosé, répandant des torrents de lave sur la terre des singes.

– Où est Loumi ? gémit-il en se frottant les yeux.

– Tiens, je ne sais pas, répond Marie-Josée. Tu as vu Loumi, Sylvie ?

– Heu, non… Elle n'est pas avec Benoît ?

– Benoît dormait. Elle est peut-être retournée dans sa maisonnette?

Complètement réveillé maintenant, Benoît fonce vers l'arbre de Loumi. Le singe n'est pas là.

– Pas dans sa cage non plus? dit Sylvie. Voilà qui est inquiétant. Où peut-elle donc être?

Personne n'a vu Loumi. Soudain, Benoît remarque la porte-moustiquaire entrouverte...

– Elle s'est sauvée!

****

Depuis une heure, Loumi explore la cour de jeu de l'immeuble n° 1. Elle court sur les barres parallèles, virevolte dans les mailles du filet de corde, s'amuse sur les trapèzes, se balance dans les anneaux. Pour finir, le petit singe s'élance dans la glissoire de plastique. Un instant plus tard, la voilà qui se retrouve en bas, le poil droit en l'air, saturé d'électricité statique! Aïe, c'est bien désagréable, et puis tous ces trucs pour enfants n'offrent pas le moindre défi à une gymnaste aussi douée qu'elle.

À quoi pourrait-elle bien jouer maintenant?

Loumi part en sautillant vers l'immeuble n° 3. Un drapeau qui flotte sur le toit a capté son attention. Et hop! la voilà qui agrippe avec souplesse le montant du premier balcon. De balcon en balcon, le singe grimpe jusqu'au huitième étage.

Soudain, son regard est attiré par un mouvement: de l'autre côté de la porte-fenêtre, une fillette s'amuse avec un jouet. Ah, une compagne de jeu! Loumi enjambe le garde-fou et avance vers la moustiquaire. La petite Juliane ne l'a pas vue; elle parle à son hérisson.

Tout à coup, horreur! Un bruit terrible éclate dans les oreilles de Loumi. Une violente poussée d'air la projette contre le garde-fou. La petite guenon perd connaissance.

Quand elle revient à elle, une sirène s'est déclenchée, qui sonne très fort et lui donne mal aux oreilles. Des éclats de verre jonchent le balcon. Et l'appartement est en feu! Loumi déguerpit. Mais l'image de la petite fille gisant inconsciente sur le plancher s'est gravée dans son esprit.

****

– Une explosion ! Ça vient de l'immeuble n° 3 ! s'écrie Robert. Vite, allons porter secours !

– Que s'est-il passé ? veut savoir Marie-Josée.

Les locataires se sont précipités dehors. C'est la cohue générale. Tout le monde va et vient. Toutes sortes d'hypothèses circulent.

– Je ne sais pas... Quelqu'un a dû s'endormir une cigarette à la bouche. Ah ! Regardez ! Là-haut !

À cet instant, Benoît aperçoit Loumi. Le petit singe saute de balcon en balcon, fuyant l'horreur du feu. Son poil roussi est tout ébouriffé.

– Loumi ! crie Benoît. Tu es blessée ? Viens ici, viens, ma belle !

– Kiiit ! Kiiit ! Kit ! Kriii !!! fait la guenon en se jetant dans ses bras.

Benoît la caresse et la serre contre lui. Brusquement, elle se dégage et repart vers l'immeuble en flammes.

– Loumi !!! Reviens ! Reviens ! crie Benoît en se lançant à sa poursuite.

– Benoît ! Non ! hurle à son tour Marie-Josée.

Loumi recommence l'ascension des

balcons. Elle s'est souvenue de la petite fille et veut attirer l'attention sur l'appartement de M. Biron.

Entre-temps, pompiers et ambulanciers débouchent en trombe dans un vacarme de sirènes et de klaxons.

– Sait-on ce qui est arrivé? interroge le commandant des pompiers en mettant pied à terre.

– Le feu s'est déclaré au huitième étage, lui lance Robert en courant à toutes jambes pour rattraper Benoît. Et mon fils est là-bas!

– Rappelez le garçon immédiatement, ordonne le commandant à ses hommes. Éloignez-le du bâtiment!

Benoît n'entend pas. Il implore Loumi de faire demi-tour. Mais son amie continue à grimper. Du septième balcon, elle va se hisser sur le huitième. La fillette est toujours inconsciente et les flammes gagnent du terrain. Terrorisée, Loumi crie de toutes ses forces comme pour appeler à l'aide. De là-haut, elle aperçoit Benoît qui pleure, les bras tendus vers elle. Pourtant le brave petit singe enjambe le garde-fou et se laisse tomber sur le balcon. Complètement affolé par le bruit et la chaleur intense, il sautille frénétiquement.

Soudain, sur sa peau qui commençait à cuire, une abondante pluie se met à tomber, comme un baume. Mais l'eau ne vient pas du ciel, elle vient du sol! Ce sont les pompiers qui arrosent l'immeuble de leurs puissantes lances. L'un d'eux monte dans une immense échelle. Attirés par Loumi, ils ont repéré la fillette. Loumi crie de plus belle. De joie mais aussi d'angoisse.

Juliane est étendue sur le plancher. Le pompier brave la fumée noire qui s'échappe de l'appartement. Vite, il cueille Juliane dans ses bras, l'étend sur le balcon, vérifie ses signes vitaux.

– J'ai trouvé une victime! Une fillette de six ou sept ans, annonce-t-il par radio. Elle est encore en vie. Je répète, elle est vivante. Je lui installe le masque à oxygène. Envoyez du renfort!

– Compris, Steve. Je vous envoie de l'aide. L'autre équipe attaque par l'intérieur!

Pendant qu'au sol les pompiers continuent d'asperger l'appartement par les fenêtres, qui ont éclaté sous la force de

l'explosion, leurs collègues s'introduisent dans l'appartement voisin. Lances à la main, ils affrontent les flammes à la recherche d'autres victimes.

Dans l'intervalle, un autre pompier a pris pied sur le balcon. Derrière le mur de briques noircies, il est accueilli par un rideau de fumée. Aveuglé, il avance à tâtons vers la chambre de M. Biron. Elle est vide. Dans cet enfer de flammes, le pompier progresse pas à pas vers la salle de bains. Soudain, il bute sur un corps. M. Biron est étendu par terre sur les carreaux de céramique.

****

UN SINGE SAUVE LA VIE
DE DEUX PERSONNES
par Jean Morin

VILLEJOIE - Deux personnes ont échappé à une mort affreuse dans un incendie grâce au courage de Loumi, un singe capucin dont nous avons déjà parlé dans ces pages. Surmontant sa peur naturelle du feu, la petite guenon de quatre ans a signalé aux pompiers la présence de M. Roger Biron et de sa petite-fille Juliane dans les Appartements Joie de Vivre.

M. Biron, le propriétaire des immeubles, se remet à l'hôpital de blessures à la tête et d'une grave brûlure à la main. Juliane, sept ans, a été incommodée par la fumée, mais son état n'inspire aucune crainte.

On déplore un décès, cependant. Celui d'un homme dans la trentaine, voisin de M. Biron, qui, selon toute vraisemblance, s'est endormi en fumant une cigarette. Un réservoir de gaz propane logé dans le placard de la cuisine est à l'origine de la terrible explosion décrite par les témoins.

****

Deux jours plus tard, la famille Castilloux rend visite à M. Biron au centre hospitalier de Villejoie. Juliane est rentrée chez elle avec ses parents dès le lendemain du drame.

– Heu, bonjour monsieur Biron, dit doucement Marie-Josée en entrebâillant la porte de la chambre.

– Hmm?

– Comment vous portez-vous, monsieur Biron?

– Pas trop mal, merci... Vous savez, l'explosion a failli me tuer. J'ai reçu des éclats de métal à la tête et j'ai perdu connaissance dans la salle de bains. Quand je suis revenu à moi, j'avais la main brûlée. Juliane n'était pas là, je ne voyais rien et je me suis évanoui de nouveau.

– C'est affreux! Heureusement que les pompiers sont arrivés tout de suite! Monsieur Biron, nous venons vous souhaiter un prompt rétablissement de la part de vos locataires.

– C'est gentil d'être venus. Je vous remercie sincèrement. Et puis, je voulais vous dire... j'ai décidé de laisser Mme Angers garder son petit singe.

– C'est vrai? s'écrie Benoît. YOUP...

– Pas si fort, Benoît, on est dans un hôpital! coupe Robert.

– Vraiment, vous allez accepter les animaux dans vos logements? s'étonne Marie-Josée.

– Pas tous, non, mais je ferai une exception pour ce singe. Après tout, c'est à cet animal que je dois ma vie et celle de ma petite-fille.

– Et Edgar? reprend Benoît.

– Edgar? Qui c'est, Edgar?

– Notre chat...

– Mmm... Eh bien, disons que je fais exception pour Edgar aussi. Mieux encore, tous les locataires actuels pourront garder leurs animaux. Je n'appliquerai la clause 14 qu'aux nouveaux locataires. Voilà!

– Merci, monsieur Biron, merci! s'écrie Benoît. Vous allez faire beaucoup d'heureux!

Table des matières

Dans la même collection:

1. LA FORÊT DES SOUPÇONS
Josée Plourde

Qui donc a intérêt à tenir Fanie et sa bande loin de la forêt ? Les méchants Trottier peut-être ? Une mystérieuse histoire de braconnage où le coupable n'est pas facile à démasquer.

2. LES YEUX DE PÉNÉLOPE
Josée Plourde

Que faire lorsqu'on tombe en amour avec un chien-guide qui devra bientôt partir pour servir d'yeux à un aveugle ? Voilà de quoi bouleverser la vie d'Andréanne, la meilleure amie de Fanie.

3. ENQUÊTE SUR LA FALAISE
Jean-Pierre Guillet

Un faucon qui titube dans le ciel, un camion-citerne dissimulé dans le bois, un voisin qui tombe malade... Guillaume et Julie rassemblent fiévreusement les indices. Arriveront-ils à mettre la main au collet du pollueur ?

4. MYSTÈRE AUX ÎLES-DE-LA-MADELEINE
Jean-Pierre Guillet

Qui est le mystérieux personnage qui arpente à la dérobée la plage du camp de vacances ? Un espion ? Guillaume et sa soeur Julie ont l'inconnu à l'oeil, mais leur curiosité leur coûtera cher...

5. LES AMOURS D'HUBERT
Josée Plourde

Hubert aime plein de choses, surtout Grand-maman, la photographie, les ratons laveurs, Macadam et Marie Pasedano, la petite Italienne aux yeux moqueurs. L'histoire inoubliable d'un garçon tendre, de sa grand-maman et du chien trouvé qui fera leur bonheur.

6. PICCOLINO ET COMPAGNIE
Pascale Rafie

Piccolino, le petit canari, ne chante plus. Laura a tout essayé pour le consoler: les mots doux, les graines spéciales, la musique des Beatles, même les grands airs d'opéra. Rien n'y fait. Peut-être lui faut-il une compagne ? Ah! l'amour, l'amour, comme c'est compliqué!

7. LE RÔDEUR DES PLAGES
Jean Pelletier

«Le rôdeur des plages embarque ses victimes dans sa chaloupe le soir et les jette par-dessus bord dans la mer.» Qui est cet inquiétant personnage qui hante les nuits de Fred ? Notre héros mène une intrépide enquête pour découvrir son identité... et fait l'une des plus belles rencontres de sa vie !

8. HUBERT ET LES VAMPIRES
Josée Plourde

Hubert est terrorisé. Il y a un vampire à Montréal ! Sur la galerie d'une maison-château du plateau Mont-Royal... Hubert réussira-t-il à convaincre ses amis François, Sonia et Marie du danger qui plane sur eux ?

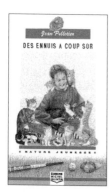

9. DES ENNUIS À COUP SÛR
Jean Pelletier

Quand ça va mal, ça va mal ! Julie ne sait plus que faire de tous ses pensionnaires à quatre pattes. Un petit roman très drôle pour tous ceux et celles qui aiment les minous.

10. LE SECRET DU LAC À L'AIGLE
Dayle Gaetz

Des coups de feu tout près, en dehors de la saison de la chasse ? Katie et Justin, en randonnée dans la forêt, sont pétrifiés. C'est le début d'une enquête passionnante pour les deux jeunes détectives. Qui a tiré ? Le coupable s'attaque-t-il aux humains, aux aigles ?

11. UNE VIE DE FÉE
Laurent Chabin

Malourène n'est pas une petite fée ordinaire... Elle parle aux animaux de son jardin, elle vient en aide à un roi mouillé, elle tombe en amour avec un drôle de prince. Quatre histoires amusantes et tendres sur une jeune fée remplie de sagesse mais pas prétentieuse pour deux sous...

12. CARRIACOU
Nicole M.-Boisvert

Florence est morte d'inquiétude. Carriacou, son cheval adoré, a disparu de l'écurie ! Et le concours d'équitation qui approche... Carriacou s'est-il sauvé ? Quelqu'un l'a-t-il volé ?
Carriacou, c'est l'histoire d'une nouvelle amitié, née d'une grande passion pour un cheval.

13. L'ARGOL ET AUTRES HISTOIRES CURIEUSES
Laurent Chabin

Huit histoires bizarres où Gaël et son frère Gilian trouvent : des scorpions qui donnent la chair de poule, des friteuses qui traversent les comètes, des araignées qui apparaissent et disparaissent, des loups qui philosophent, des arbres qui pleurent, des villes qui ne sont pas sur les cartes, et, surtout, de mystérieux argols...

14. L'ÉNIGME DE L'ÎLE AUX CHEVAUX
Nicole M.-Boisvert

François est à bout de patience et de forces. Reverra-t-il jamais son cheval adoré, son beau Pacho ?

Sa grande amie Florence s'engage à le retrouver. Elle et son frère Marco flairent une curieuse piste : un tableau qui les a laissés bouche bée au musée...

15. LE MENSONGE DE MYRALIE
Nicole M.-Boisvert

Depuis l'arrivée de Myralie à l'école, en plein mois de mars, Jonathan s'interroge. La nouvelle venue aux yeux bridés a l'air triste. Et l'autre jour, elle a osé fouiller dans ses poches pendant qu'il avait le dos tourné !

Quand il découvrira la vérité sur Myralie, Jonathan aura beaucoup de chagrin pour sa petite copine.

16. DRÔLE DE SINGE!
Éric Girard

Jusqu'à aujourd'hui, Benoît aurait juré que les singes se trouvent dans la forêt ou bien au zoo. Eh bien non! Il y en a un tout près de chez lui. Et il porte même un nom : Loumi. Qu'est-ce qu'un singe fait donc chez la nouvelle voisine? Benoît décide de trouver la réponse à cette intéressante question.

C
G-IR

Ville de Montréal

Feuillet
de circulation

TACHÉ TRANCHE of

À rendre le		
- - JUI 2000		
2 2 AOU		
7 MAI		
NOV 02		

06.03.375-8 (05-93)

RELIURE LEDUC & ASS.
MARIEVILLE, QUÉ